仙屏書屋初集詩錄卷之九

宜黃　黃爵滋樹齋著

除大母服作

侍吾母日短侍祖母日長日長雖云久飄忽嗟永傷昔我前祖母相我祖克覆行年未三十倏爾捐珮璫惟我父與叔幼穉誰辨營叶祖母實繼之深慰我祖望豆醬三伏暑菘虀十月霜蓬頭朝爨熱皸指宵杼忙食不飽一飯賓客豐酒漿衣不煖一帛兒女潔衣裳視祖所可否愛憎故兩忘我婦不及姑視之尤周詳憶自丁丑歲

挈家瀘之陽遣我膝下女歸侍祖母旁苦怨瀘山高不獲安輿將蹉跎六七載南北心徬徨我祖既云逝祖母亦鮮康丁亥婦北來拜別心悽愴長女嫁而夭老淚涤汪汪兒媳雖在側豈能歡一觴去年父書來驚噩交涕滂吁嗟劬老死不獲安樂償地下語我祖五世今其昌地下語我母孫曾亦堂堂作桀物易衰徐至福無量惟我世世嗣家法守其良服除告我婦遙奠臚籩薌我思曷云已骨月慨以慷

牟將軍寶刀歌爲龔木民作

將軍奈此寶刀何寶刀愁和龔生歌將軍聲勢猛於虎
持刀殺賊如殺鼠飛騰曾其倚青天沈淪幸不埋黃土
此日龍文瑩拭膏當時血色黯澉袍賢侯忍見忠勳沒謂利川令王君汝彤烈士由來聲價高問訊將軍舊遊地寶刀洗
出松江翠龔生今亦江南行腰間壓倒黿鼉氣酒酣拔
刀刀在空愼勿輕用摧其鋒

鳳陽行送卞光和大守

朝登日月峰精華不可窮夕泛灘渙水文章一何綺誰
言此地非樂土士類之歸首何武輕徭課耕靖民風近

時復有史記功儀徵卞子瑰傑才十載把臂同燕臺寒
雪看催驄馬去春花喜傍安輿開人言鳳陽有老吏鷙
鳥飛空啄木避會以春溫濟秋肅夾道衙衙馴白鹿君
行贈我庭前蘭何以報之同心言爲語劉子珪大儒可
出爲世師爲求沐文英猛士當思守四方

後撫州行贈劉梅坪大守六首

有水滔滔臨與爾源遠流長不可禦前有同叔後若士
相業才名孰繼武靈谷自有梗楠材元氣摧剝枯根荄
大守來兮栽者培

有山崔崔曰雲林寸雲可作三日霖錦繡谷裏春風深
春風駘宕回天心君不見梭山老圃已寂寞象山講義
誰能索太守來兮切咨度
有田種玉不可以鬻有鯉化石不可以食君不見華蓋
山高高插天香煙一氣淩斗垣太守來兮祝豐年
有水有水宜與黃有山有山鳴鳳皇十里五里水碓張
十家九家春無糧君不見黃生無田不可歸父老坐歎
風俗衰太守來兮吾其師
有山有山芙蓉高有水有水聞化鼇昔何繁盛今何雕
鏡香亭空人寂寥君不聞抗疏詹思吉著書原嗚喜太

守來兮堪薦芷
有文有文天傭子韓歐之筆程朱理今之艾生（至堂孝廉暢）
實繼起前者楊侯（履菴令開泰）大咨利弊東鄉已獲循良吏太
守來兮化更寬竹馬爭迎六邑歡

至日招同人小集寓齋分韻

癸巳之歲月在辛一陽始復虛其邪
南郊三日畢齋宿
玉皇返駕羣靈舒我有嘉賓來于于何以飲之酒百壺

昔賢誰見出處其今人況復升沈殊升沈雖殊道不渝
輿酣落筆相于喁老農仰天忿種麥三白不見淚眼枯
吾輩各各談鄉閭米貴愁撥家中書勸君且飲君勿忓
君不聞堯如腊舜如腒四海鼓腹而含哺吁嗟安得四
海鼓腹而含哺風雨調燮羣生蘇起看北斗迴天樞

喜雪即事東金亞伯

敝裘衝雪不知寒瀛海茫茫玉作瀾昨夕猶勤三殿禱
今朝眞見萬家歡野田飽漬無螟螣宮樹深藏有鳳鸞
好爲蒼生進封事天街聯轡喜同官

歲暮懷人詩三十四首

龍巖林采田師

東山初月上照見盃中春先生拚一醉此外皆浮雲安
得返世士來其飲吾醇

宛平劉藹亭師

危險慣仕途海颶顛不死回首十年前招我屠沽市何
時賦歸來荒徑鋤菊杞

前輩丁興齋學士傑

事兄如事父一官親供養悠悠死喪威征途一何曠江

湖多鮮民極目矧愴怳

前輩劉屺南給事光三

呼酒送君行君行不我顧何時劇思君鴉月倚寒署想見課耕餘恬然消百慮

前與安廣文鄒曉江先生夢蓮

素交無窮達百年空緬邈先生獨健者山花扶講帷猶憶應門時詩筒見商榷

林芾南修撰名棠

送君去年月思君今年雪澄川有深源餐膳信甘潔我懋山中人進退孰巧拙

高南渠編修樹勳

清貧乃素位所深骨月悲歲晏君不返北堂千里思應知漢水上遊子重徘徊

余東才明經德楷

君任宮亭湖湖水幾深淺牀頭一卷圖靈鑰常任眼（君著有圖鑰一書）不逢采芝人名業何時蔵

傅笱圃秀才班聯

傅叟髦猶勤萬卷手自寫記從出東郭飲我碧桃下妻

孥頗自得於世亦殊寡

杜尺莊孝廉煦

山中孰閉關杜叟泉石姿佳兒望舍返翻謝白雲司調稼

軒比部寶辰

風高鳴鷁遠翦燭頻相思

郭羽可中翰儀霄

我愛郭生竹飄瞥騰青鸞懸之虛堂內四序不改覩透

憶高吟發梁園雪正寒

徐東松明經湘潭

徐生遇侘傺陶寫惟文章骨堅金石鍊氣挾風雲翔世

無知已者毀譽應兩忘

李牧臣廣文覺

十年課佳兒聞當豐羽毛老鳳自孤吟一笑甘蓬蒿翩

然挾遊具醉對懷玉高

嫻丈余一齋秀才學閩

朱陳本世戚結交稱忘年舊家感中落何以爲粥饘菡

萏有生意莫漫成枯禪石碧之側有菡萏禪林君嘗讀書處

何礪渠廣文金

與君識面初月照蘭溪水思君又十年花縣渺河洨循

憶訪君家鐵杖樓邊市

潘穀士明經葆田

浮雲繫高空飄忽不知處豈其挾神龍深潛謝遠翥思君陌頭水不辨東西路

簡夢巖孝廉鈞培

窮鳥不可窮飄然返林岫眼見朱門客變滅如雲驟新詩日吟哦邱壑自迴秀

張亨甫明經際亮

靈巖揖高僧稽山探禹穴復聞庾嶺行梅花白於雪蒼涼百卷詩此意向誰說

吳子序明經嘉賓

吳生著經餘文章皆欲飛記同踏雪行天風寒翠微咫尺不相見昔瘦今當肥

陳伯游大學方海

一櫂返江南江南近何似獨有六朝山寒秀落文几應懷故交遠南北各殊軌

苗仙露明經學植

世無君子館殘磚乃獨抱可能負米歸日進堂前老實

行薄虛名愼勿疑枯槁

譚桐舫孝廉祖同

鴻鵠羨雙舉中途聞折翼謂令弟楙臣孤鳴向何方雲月杳寒碧苦憶蕭寺鐘音塵多閒寂

魏默深中翰源

江亭一別後芳蹤何落落知君不凡才出處肯輕託予懷若白雲裊裊寄虛廓

江龍門秀才開

燕市一尊酒拔劍爲高歌有時寂閉戶夢荷天山戈科目豈限人君當待禮羅

符雪樵孝廉兆綸

淬厲劍成鋒磨礱玉開璞奔走雖云勞致道在虛靜峩峩鵲華高相對發新詠

潘四農孝廉德輿

淮上風雪多君思正如何旣耕亦旣讀奈此鬢髮皤鬢髮雖欲皤吾道庸蹉跎

徐犖生進士卓

徐卓著述才薑芽獨斂手一官非所榮不怨居人後聞

當載書來飲爾逡巡酒

盧籟亭孝廉讌

楊侯鑑泉明府重君才延作經生師想登來鶴亭臨流賦新

詩詩心與鶴唳清潔兩相期

魏培因秀才崇基

魏生總角時文挾幽燕氣如何迫窮愁十載屈戰藝在

德不在才源深流不匱

饒禺生明經崇慈

才思若春藻醞以芳露幽想當抗古人詩力十倍遒速

華詣無根君子愼厥修

萬靜巖司獄光澂

胸中羅異籍不受世塵滓澗迹漁樵間冥通深物理可

否已徵蘭顧弄及稚子

李起巖內弟源霖

鄉者瀘水濱談藝極朝夕困鱗待舉手胡爲久偪仄終

當念所生貽名在崇德

壽泉兄爵樞

二十作賦時淩雲見雙鶴幼小常周旋老大徒契濶君

似劍藏韜我如車轉轄

君歸道東海寄我雪中書謂我何以告老馬慙識塗騖名固非策舍己將焉圖

紫垣弟爵綬

寄楊青城蓮峰

迢迢清河水潤彼東鄒畦由來渤海俗奢儉隨轉移勞民非喜事息物在因時想見訟庭畔碧樹鳴黃鸝百里當得賢可遇宋益齊

寄嚴棲霞問樵

君似棲霞仙去作棲霞令雲圍翠屏高月浸清洋靜應憐現宰官莫諷哀時命垣籬有鶴心勺水有龍性君子惜遭逢所貴非虛柄

立春前一日值宿口占

近著三台側殘冬一宿中人行響砌雪鴉散動林風寒燭高吟過疎簾清夢通天門咫尺起看日銜東

雲南行贈周雨亭太守還任永昌並送家仙嶠太守

五華之山何嶙嶙中有滇海包乾坤干戈靖後二百載

不數漢代開人文卓哉今見永昌守萬里朝天驢鼎首
昔時飲我黃水清今日祝公佛山壽東南歲歲哀鴻多
乖龍噴雨蛟騰波惟有此邦稱樂土問訊風俗今如何
去年傳聞益州震夜郎羅伽岸谷變保障應須賴霍公
流移孰爲招王彥蓬萊仙監吾宗才
帝曰往哉惟汝諧定識雲龍相上下甘霖到處回枯稭
燕門柳色浮天綠使我離愁添百斛花下空餘醉醒吟
鐙前誰共升沈卜花驄先後指南天爲語金華使者賢
謂李春皋學使雨朝詩略從今補采取滇風被管絃

閩海篇寄鄭雲麓廣東竝送楊雪椒觀察之任燕
湖
閩海多才人我交得張季謂亨甫張季爲我言鄭楊寔心
契彼寔者考功文章兼政事靜若淵鱗潛動若皐禽唳
春雨燕門花秋風楚庭穗示我百篇吟感我百端思對
酒忽不樂欲招楊君醉君乎不我來騑驂迫之出浩浩
長江波老蛟恣遊戲輸倉苦無租榷關苦無稅青山已
荒蕪白紵亦憔悴不逢吟詩人臨風永歎噴往哉君莫
疑卓爾世方跂翹首天末雲各極飛騰致

艾至堂北度鴈關圖

莽蕩極風沙雄邊落日斜山空餘戰血鴈外出悲笳雪過三春草冰摧萬石車獨遊輕絕塞中外其爲家

寄題余芝衫畹香畫室

菡萏峰南杏樹村涓涓流水到君門添將一角紅樓影洗出千枝碧玉魂（君配浣香夫人寫蘭於此）林燕語新求戶牖溪鱗價賤足盤飧須知無限蒼生望十載空山自討論

贈劉穆士兼懷徐東松

君不見長安貴人飽塵土劉生養痾常閉戶室中自納三山雲天外誰飛九州雨手調素琴索我歌我歌君和當如何世態紛紛若秋槁人事莽莽如春波荒江故人憂思多一書百語千滂沱君馬皤我馬驕欲飲無泉不敢出衣深月黑各有夢招手故人共投筆

艾至堂乾坤中中處圖歌

君不見下界曾孫亘可哀武夷作歌空徘徊又不見釋迦慈悲善變易大千何曾去六賊大儒乃有張橫渠苦爲斯世砭頑愚父母宗子一氣耳人心本握天心樞艾生好道通羣書識此眞實非虛誣天蒼蒼兮不可窺君

欲煉石補其虧地蕩蕩兮不可越君欲鞭鼇拄其缺世人見君笑且驚君笑世人何無情吁嗟乎黃生與君其犖犖用舍百年費商搉雲開喜見日月清水立愁開江海濁有時歌泣雜悲歡有時問天天不言秋風吹霜白髮新老爾乾坤中處身

洪生行贈子齡

陽湖洪生有父風其才如劍筆如鋒自寫孤悰最激越郤述先德何從容君家兄弟機雲似入洛聲名到吾耳兼謂令兄幼懷上舍秋風匹馬滹沱來青眼高歌屬吾子西望黃

河思崑崙北望太行知孤門山川萬古此磅礴目所未覩胸已吞先輩風流久蕭索衹今誰愛平原客且來就我細論文慎莫從人輕挾策君不見姚叟椿郭叟羽可今倔強洪生與之參倘佯君才果是幽燕將豈比學步邯鄲倡

不見

不見鄉園又十年白雲紅樹意茫然南華峰外斜陽路誰看黃牛抱犢眠

四川行送王寶珊學使

君不見蜀山之高高插天王尊叱馭慨慷前剏今華陽
盛文教輶車所到無險偏江漢滔滔自天落劈山破野
走蛟鼉東南屢見流民哀陸海誰貽父老樂民徭蠢蠢
嗟何由得無弛計籌邊棲使者會有主持責士氣以作
民風柔草堂西郭跡可求百花潭水千年幽許身稷禼
誰匹儔願君磊落拔其尤君之先烈歸廊廟
帝曰俞哉汝其紹秋風策馬經故鄉眞見出門向西笑

喜郭羽可至京

太息風塵老郭隗夕陽瘦馬又燕臺詩聲疑挾黃河至

畫意添將紅藥開四海交遊幾兄弟千秋事業一雲雷
天心莽莽終難問賴爾雄譚佐酒盃

中秋泛舟通惠河

放櫂飛塵外開樽亂葦邊飢烏低向郭泛鴨靜隨船碧
水易歸海紅雲難駐天無爲誤行樂適意且陶然

金亞伯大江泛月冊子

萬里無雲孤月明動人秋思不勝情青山閱盡古今水
難得一江風浪平

詠史五首

皇天何不仁亂晉叢五湖匪伊天不仁人事生齟齬司
馬自魚肉蛟龍爭挐呿離石縱劉翼流人資蜀驅羅尚
非不勇王渾毋乃愚傷哉惠與懷失馭無人扶
誰歟嘯洛城魚龍當變化滅趙實禍晉處劉天所假鐵
騎橫幽并鞞鼓震岱華孟孫一劍雄喑嗚資叱咤獨恨
晉祖逖起舞空長夜
皇天有三日不照下土民溫陶一以徂元規揚其塵龍
城餤遂熾雀臺歌舞陳二寇指秦吳憑陵勢益振兌威
一朝殄狐死不得奔獨惜大司馬愧彼縛賦人

灞上與枋頭一再傾國師怒室及其爻乃爲口實資哀
哉景略死豪傑亦已稀江東方戮力隕葬非所期八公
神力集五將妖氛迷獨恨犬年多蒼生終涕洟
晉德實不綱陽九僭始極陰山幾戰場東海血流碧餘
孽殘洛陽孽凶躪漠北天心自悔禍百年相翦殛不謂
司馬兒終喪股肱逆咄哉元熙年長星竟天赫

仙屏書屋初集詩錄卷之十

宜黃　黃爵滋樹齋著

風四章

天鬱鬱兮腐餘揚中人目兮愁蔑盲忽愁爾蔑盲日月有輝光一解 地鬱鬱兮懒涸塞中人脅兮愁嗽獲忽愁爾嗽獲笑言當啞啞二解 天地鬱鬱兮使我滯淫忽愁爾滯淫帝鑒爾諶三解 媢之娀之自爾取之蕉之萃之自爾棄之四解

奉題禮烈親王克勒馬圖

東海水飛立闖然天驥來風雲與時會骨像騰圖開此馬猶忠主賢王不負才應令千載下涕淚向金臺

相見行

相見復相見一日須一面匪云貌相親所貴心相獻君歡我亦歡春蘭被風善君愁我亦愁寒冰集霰亂相見不相知不如棄路歧可憐路旁草腸斷還相思松柏自有蔭鸞鳳自有儀惜君不相見相見無相疑

次韻答劉孝長

楚國詞人絕代雄銅琵唱徹大江東雲霞影落一杯裏

風雨神交廿載中就列吾方慙假豸思歸君已羡冥鴻
湖山縱有嬉遨處莫忘清談此日同

秋懷贈友三首

唧唧蟲何事悠悠客自悲秋心風雨夕人意晦明時櫪
馬懷長坂巢禽失故枝侵尋皆白髮底用不相思
好我逝將去疎星悄向晨佳人感蕭瑟窮士悔逡巡閶
闔高無極風雲契有眞誰能乖遠志珍重此時身
水急蛟鼉怒山空虎豹爭鬼神淒欲避耳目鬧無驚溼
蟻逢陰聚寒蟬抱樹鳴轉移憑造化靜觀息吾情

戲柬羽可

中書排日進旨銜羞澀青銅怕坐車好是新秋三日雨
閉門寫盡竹槎枒

廣東行送李石梧學使

祝融騰天光熊熊倒映海水生長虹前有高固後曲江
天遣南戒開葦蒙靈州之氣千年鍾今之視昔將無同
誰擊神鼓驚世聾使者之責非民功要令知學迴士風
虎頭道險華夷通
天威遠控扶桑東佛郎機靜波不鴻任爾手擷珊瑚紅

我亦快覩爲豪雄

江西行送銘東屏

大江之西吳楚交風氣不齊雜淳澆豈伊百里各異民毋乃宰割乖所操子爲江西吏我歌江西謠南庚北匡何岧嶢鄱湖滔滔黿鼉驕黿鼉驕兮猶自可盜賊紛紛愁殺我盜賊殺人人不聞官府催租急如火豈無追胥不入鄉逋賦爭納新吳楊豈無郡縣望風旨鹽法獨便新淦李今人豈不知古人安得今賢皆昔賢知人不乏范延賞求民黨遇王伯安往哉吾子勿盤桓我懷桑梓思百端夢裏西江月正寒

山西行送陳潤珊竝寄李榆邨刺史

山右古陶唐之遺我歌唐風鬱以思近者乃有伏牛之里舞牟澗若燎旋撲嗟既靡千載李韓不可作并州萬族將誰託賴爾循良荀與郭方今中外成一家鴈門日落無風沙但使粟城穀山不告竭何用秦壁趙壘相矜誇陳生四載燕市客論文與我共朝夕秋風送爾有寒色寒亦不足畏熱亦不足欣此意孰相識今有忻州李使君若過尹鐸祠前路還訊薛雲谷裏春

朱春陽雪竹歌

暑雨鬱蒸天宇昏醉來堅臥愁出門揩眼忽見石邊竹月光雪色空無痕東華塵土那有此令我棖觸思鄉園鄉園千竿萬竿竹雪後筍肥香可劚我懷山中不得歸君愁林下偏離伏梁園花謝怯春寒燕山木落悲秋肅昨者有客向我謀手持一卷文湖州副之唐琴復漢印長安市上無人售朱生朱生胡為挾此一枝筆肉食槩槩將何求

自題圖絕句四首

偶憶平生四照皆非故我近年復屢倩畫工為之亦不能似也一渡江一遊廬五少一思樹芳蘭一四子論詩圖所不似詩以似之云

畫手當年華古厓空江一葉費安排誰知倚棹書生少
不怕蛟龍觸處乖

五老青青天外身人間五少亦前因廿年此樂知難再
面目求時那得真

為鋤荊棘種芳蘭得意三焦酒戶寬衹有名花同氣味
誰將古鏡照心肝

徐公妙得潘張友詩觔天開偶著余不獨座中無主客
須知象外有眞如

福建行送霍磬生

我聞釣臺山色萬古靑俯瞰大江趨滄溟尊官貴人盛
遊蒞廡常蔡辛幾人在欲訪賢艮陂石泉涸矣今誰知
欲問避秦地榴花落盡無人至送君夢君嶺雲裏與君
相思定無已嚴風隕霜天早寒妖星照野愁無端風塵
一劍休戚戚他日期君萬人敵

重九日獨遊白雲觀

去去渾無礙行行信所遭啼鳥靜落木飛鴿散平皋雲
駕疑仙集塵途笑客勞所思方不見獨自怯登高

郭羽可畫竹歌

老可風塵三十載胸挾淇園萬竹枝九渡黃河走兗豫
今來還宿鳳皇池鳳皇有羽不得奮鸞鳩笑殺憐爾飢
怒氣鬱勃鞭虹霓穿巖破谷天爲開颫颫雨雨鬼神嘯
枝枝葉葉琅玕披壁間二十幅世上五百年黃生那能
久有此毋乃凝甚相周旋老可苦愛黃生句時以新竹
引其趣此册云欲自珍藏凡夫未足相表著芳悅草魂

女動魄我欲奪之不可得涓涓細韻挹清泉嫋嫋疎陰遮瘦石夢裏鄉關渺何極寥天鷙鳥愁搏擊不若林禽善棲息廬山苦筍亦可食何時種竹匡君側

節婦行

吳雅氏秀山嘗出宰浙西以母憂去旋殁其妻烏扎庫氏投繯以殉

夫號厥母兮婦號厥姑風饕雪虐兮返喪廬子哀母兮血旣枯妻殉夫兮曷踟躕翁誰事兮夫有弟息誰撫兮室有姊堂告翁兮墓辭母投繯柩側兮畢命帷裏何從容兮若此嗚呼女子兮愧男子鬱毅魄兮燕之郊斜陽衰草兮烏悲號荒塚纍纍兮狐兎驕獨爾靈兮不可彫茁爲神芝兮愁鬼妖

南蝗

飛蝗向南行蝗聲所過惟哭聲蝗面人面何猙獰見者不識聞者驚捕蝗蝗不避殺蝗蝗不畏吳楚閩粤交惟蝗所食地我欲拔劍索江神蝗不過江今奚然爾水爾旱殃我民爾蛟爾龍慘不仁復縱飛蝗助爾虐謬謂上帝不爾聞嗚呼飛蝗食穀還食人穀死人死爾神血食

誰復存

悔過詩示章生及兒子林架

彼日月兮胡揜而晦雖則未晦照猶有闕章一彼雨露兮胡韜而闕雖則未闕澤猶有闕章二目及千里蔽於一堂耳及四海塞於一房章三收吾之明返吾之聰聽彼無語視彼無蹤章四所求夫神我未知命所求夫人我未盡性章五愛屋及烏愛友及孥山傾可覆河決可瀦章六慎之惕之不走而蹶憂之懼之不飲而醉章七天地無私日月不與少壯不砭老而奚瘉章八嗚呼小子告爾慎止若轂順塗如機逆水章九明則禮樂幽則鬼神告爾小子毋重吾愆章十

丙申燕九葉筠潭前輩招遊白雲觀歸集白鶴山房分韻得非字

馬首春痕逼翠微白雲縹緲向空飛乞錢道士何時飽化鶴仙人此日歸樓觀未隨流水換光陰已歎隔年非金壺玉琖憑淘洗莽莽塵途總夕暉

二月二十六日招葉筠潭前輩郭羽可艾至堂蔣子瀟張亨甫朱曉山小集江亭

孤亭遙對翠微彎嚮夕風狂坐掩關冀北才多天下駿
江南春在夢中山杏花淺白人初醉柳葉深青燕未還
何處飛雲齊引領甘霖三日洗塵寰

三月九日門人曹良甫劉耘藍錢冬士張玉峰賈運生招飲花之寺歸過崇效寺觀拙公紅杏青松圖及漁洋竹垞兩先生所種樹有作示諸子和之

日煖風和薄醉勝飛英點點冒蒼藤海棠笑問何時種
無復當年粥飯僧

田盤山碧際天交紅杏青松對結茆省識菩提本非樹
聲聞誰解拙公嘲

西來閣下丁香樹玉雪雙株老更新花絮滿園總饜俗
世間眞有效顰人

江亭展禊詩

二儀嬗運四氣迭周道以時育物因化流俯仰千載孰樂孰憂允矣古人惟好是求章一太行屹屹桑乾滔滔冀野千里壯哉神皋釣魚勿羨屠狗勿勞上有神聖下有英髦章二惟茅可藉惟蘭可茇君子至止慰我

饑渴天和以曠人暇以發除舊飾新厥義惟祓三章爰處
臺榭爰居高明爰笑爰語爰觶爰觴無用非用德以言
亡無用爲用志以文彰四章天鑑我農錫之甘雨
皇鑑我士載育載煦臨深知鱗攀峻知羽豐德懋儀載
潛載舉五章天之生才不竭如水孰遡其原孰道其委贍
彼白雲或霧或飄或合或離或傴或喜六章有蟠者松有
菀者柳懷彼哲人惠風惟颸來往千載孰先孰後側身
乾坤勉哉不朽七章

答潘四農郎送其歸山陽

潘郎別我意淒然四月滹沱欲暑天新句每貽蘭澤美
舊交多是竹林賢謂丁儉卿曾蘭岑諸君芙蓉秋滿滄江露芍藥
春消市郭煙兩地情懷一相感飛鴻嘹唳亂雲邊

示蘇賡堂庚常郎題其守柔齋詩鈔

長天起炎日佳句挾清冰蹤跡疑疎遠精神喜奮騰才
當衰俗振道爲衆流勝試語蓬萊客金鼇孰其登

蒼鴿

五鳳樓前蒼鴿飛陰森翠柏自相依廟堂不爽江湖志
二月來巢八月歸

五月六日衙齋卽景

愉廳小坐榻陰移鳥啄青蟲墮碧枝歷亂風前白蝴蝶飛飛猶解避蛛絲

送徐鐵孫大令

君家南海上宦遊北海間賺得紅塵與白髮（君自言爲槀城校官二年所得惟紅塵白髮耳）一笑行雲更出山行雲出山向何處迢迢浙水東西路海上隄防截怒濤江邊桑稻思甘澍經生作吏有本原士氣旣洽民風敦試登吳山峰第一左江右湖羅清罇連朝新雨洗炎虐綠楊繫馬猶燕郭秋風湖上寄詩來知爾關心定民瘼

送鄭叜山出守臨安

君不見鷓鴣山頭鷓鴣呼弋人篡之不得逋又不見青龍潭中青龍蟄網師求之不可狎井泉溥博火燄集中有元氣滃變調君行萬里酌君酒蓬萊十載重迴首安得從君環翠樓川雲谷雨交平疇文教但承建節使武功不羨盟蠻侯

送冏石生觀察之蘭州

皋蘭岌嶪連雲起西控天方二萬里落日雕盤白草原

堅冰馬蹴黃河水太平無事靜邊防酌酒堪登平遠堂
爲訪渾瑊植忠讜好求袁盎勸循良

鐵耕樓歌送香鐵

鐵耕子所耕不在山不在水乃在眼前突兀之高樓上憑日月下臨無極虎豹阻絶蛟鼉愁有時載筆去出手馳風雷朝吟梁王苑暮嘯燕昭臺鐵耕子心似鐵卞和足不可刖泉明腰不可折歸來歸來乃在練水之濱滄洲之渚泳春風兮涵化雨飽朝盤兮醉夕酤君不見化龍溪水東向流風煙近接潮陽秋但願此間歲歲農無憂鐵耕子何所求

九月三日衙齋即事

秋風颯庭柯黃蝶紛墮砌時和雨露滋氣肅冰霜厲榮華若任天貞固自憑地斤斧苟不傷蚍蜉焉足累紛紛世間人何由識榮悴觀化測無方喟然念培植

贈別郭羽可

老可今去矣吾恐過不聞知交半天下直諒誰似君繁霜殺勁草世態何紛紜游龍避蝘蜓霧豹藏其文人生無憂患德慧何由尊所恃二三子急切戒濡焚蒼蒼天

無極四野多浮雲秋風忽此別涕淚沾衣巾君心懸北
海我夢惟青原想見竹林下披圖如晤言

送徐松龕出守潯州

桂之水兮溶溶潯之江兮淙淙願鼓楫兮乘風搴蘭沚
兮蕙叢朝登澄霽閣暮躡超然亭秋月懸明鏡春風含
太清榕門之榕尚在否哲人往矣今誰偶從政遺規庶
可循乞君教養師其眞
天子英明鑒忠讜閶闔宛轉迴僕淳朔雲沈沈方釀雪
滹沱凍澈馬蹄鐵惜哉怱怱與君別欲語不語心如結

臨江行送熊璧臣太守

我聞閤皂三十三福地又聞玉笥第十七洞天贛江昔
櫂中流船神遊不得躋其巔是時赤日吐炎暑苦思巖
壑蛟龍鞭喻公施公緬遺績峩峩今見二千石白雲羡
爾垂聲名碧嶂亭名從茲煥顏色看君惠澤溥羣生盜賊
虎狠非昔情寄我新詩與畫卷側從桑梓懷樵耕

仙屏書屋初集詩録卷之十一

宜黃　黃爵滋樹齋著

哭舊詩二十四首

座主少宰長興張小軒先生

潞水蕭蕭送一棺，生前死後總清寒。傷心不爲師門哭，廊廟如公盡瘁難。

座主少司空會稽吳楳梁先生

百年知已慟文章，回首追隨總斷腸。繞郭看花攜酒路，白楊衰草月如霜。

大宗伯樂平汪巽泉先生

七十尚書無葬資，九原先有子同歸（公子小泉孝廉先公數日卒）。老成桑梓摧殘甚，千仞誰能振翮飛。

前中丞南城曾賓谷前輩燠

海棠春雨花之寺，猶見風流老輩多。身後由來歸寂寞，生前未肯付蹉跎。

前廣文鄒曉江先生夢蓮

青山何處弔詩魂，日暮天寒翡翠村（先生有翡翠詩極佳，予少時嘗誦之）。遲我選樓嗟未及，百年風雅其誰論（先生聞予選國朝人詩，期以十年）。

待見今先生歿而予書尚未成也

嫻丈余一齋秀才學閩

溪上漁樵狎往還名流時復叩柴關薜蘿蒙密梧桐老兩世如今歸道山

前待郎長白鍾仰山前輩昌

桂子飄香月到帷論文酌酒賞心時一從塞北魂難返祇有江南夢可追

東鄉吳蘭雪刺史嵩梁

詩人作吏太蕭條魂魄東山孰與招龍樹送君殘雪後飛鴻萬里斷雲霄

南豐吳子顧工部嘉言

自古詩人水部多吳生才調勝裴何十年蕭寺看花處愁絶臨風想佩珂

前觀察富陽周芸皋前輩凱

長安尊酒大淋漓惜別淒然向海湄獨有襄陽遺愛在千秋一卷種桑詩

龍溪鄭雲麓都轉開禧

鎖海書來嬾未酬喜聞奉

詔出營邱憐才不識蒼天意槃錯何曾到白頭

長沙王琴垞戶部寅

哀歌斫地有王郎一櫂淒然返故鄉瑤瑟無端忽摧碎
猿悲鶴怨滿瀟湘

德興余東才明經朝楷

銀潭水深不見底腳踏鯉公何處歸一夕瑤琴能飛瀑
千年寶劍埋寒暉

瀘谿傅荀圃秀才班聯

老猶好學惜斯人名利蕭然不罣身惆悵妙峰高下路

白雲寒月叫蒼鷹

湖口周雪樵太守仲墀

如何一醉別長安流水高山失故歡禹穴雲霞自終古
憐君只在病中看

崇善梁省吾禮部葆慶

家書教孝勝楹書（君父瑞亭先生家書七十餘札奉諱後輯刊之）見爾傷心泣
血餘痛絕秋江八千里只留魂魄到喪廬

海豐吳季文戶部式羣

寒花憑几散清芬添酒迴鐙憶論文化鶴歸來空夜月

孤鸞泣盡慘秋雲

順德簡夢巖孝廉鈞培

病翮還山竟不還脊令江上泣孤單君兄永菴孝廉同歸可憐蕉萃詩人魄風雪猶過惶恐灘

南雄何礪渠廣文金

萬里相思十年夢魚書寄不到泉臺蕭條身後知何似埋骨應教傍嶺梅

宣化李心一庶常錦業

菽水承歡白髮侵荒江忍耐歲寒深蓬萊一覺遊仙夢

未了平生孝子心

仁和金讓水庶常濂

罡風飄忽散明霞慘淡天心任怨嗟黃口孤兒那解事幽魂自泣杜鵑花

蕪湖周仿迂戶部茂洋

幾載青山沈日月一時上谷會風雲如何精悍眉間色夢裏徒教一見君

丹徒包圭山孝廉國璋

豪吟已見詩心細快飲還聞酒戶寬欲向金焦尋伴侶

玉樓歸去海潮寒

瀘谿饒禺生明經崇懋

道是生離竟死別十年蕭寺感曇花秋風寄我殷勤語欲報飛鴻日巳斜

贈石璐辰司馬

桑梓聞循績芝蘭見素襟能迴天地氣直入士民心南浦月光靜西山春色深隨君惟有夢惠我可無音

送鮑馨山假旋

白水心能見青雲跡可干東風馬前好北斗望中寒郤

病求仙术貽芳種綺蘭蓬萊仍待爾莫便老漁竿

贈馬止齋大令

經術飾治行仕學非兩歧由來武健吏不若慈惠師偉哉龍江子風雅宏歌詩訟庭花自落憶爾臨犍爲朅來任長安吟咏方逶迤簡書一朝迫遙指天之涯山連雪峰起水接澎湖飛鯤鯨易跋浪鸞鳳難棲枝吁嗟志士勇足破凡夫疑但期競綠化百祿惟爾宜

蕭寺二首

蕭寺與塵遠靜餘春覺深蘆芽煙際密松翠雪中森陳

蹟懷朋好新機見佛心不嫌風似虎怖鴿早歸林
燒燭夜初短提壺昬漸遲優閑惜日力蘊藉託風詩官
柳黃金縷仙桃碧玉枝美人在何許搔首欲相貽

蓮花寺僧索詩口占示之

碧草紅花伴毾㲪幽棲聊可託迦陵回頭十五年前夢
猶見閒中著个僧

丁酉上巳招諸子江亭春禊疊次壁間王述庵侍
郎詩韻

風落市聲散雲開春宇高鳥鳴思出谷魚樂想觀濠尋

岳誰飛步歸湖未買舠情同羈渴驥氣尚禁寒螃地接
虛亭古天懷佳節遭前賢跡已逝吾輩意斯陶政事方
多暇文章況足豪開軒得夷曠列座遠塵囂語靜恰喧
磬心清聊濁醪斷幢蝸補篆空閣燕留毛歲月眼中過
山河首重搔此間堪俯仰半日極遊敖莫問揚雄字休
誇宋玉騷因時爲變化立志在堅牢吾榜多名士長安
見爾曹所知原落落蒙詒豈臯臯相和宜占鶴同來自
釣鼇月當稜粉署霜或點宮袍光耀燭分室精神劍合
韜百年幾聚散四海一憂勞天府慙糜粟詩壇欲振鼙

清談嗤已誤嶮語笑相䰟庶以名爲實毋忘業所操溫

生翰初善圖畫倩爾筆添毫

哭友詩四首

李蘭屏比部彥彬

三年丹地筆十載白雲司不改古人貌彌深內行思乾

坤失雙鳥零落我心悲誰見湖州叟憐才空涕洟君與令弟

蘭卿都轉皆出葉筠潭前輩門下

王慈雨吏部欽霖

壯士摧難折雄心死未平天平不可問豎者詎能生遇

每憐方朔才眞惜曼卿凄然風雨夕猶想讀書聲

趙直夫大令本敭

十載江南別思君枉斷腸風號蕭寂地月墮杳冥鄉遇

絀才難盡憂深志易傷華峰歸未得空憶舊書堂君嘗讀書

大華山中

余芝衫大令錫璋

哭爾遽三世蒼涼鬼伯呼一官天竟惜萬事日方徂波

浪愁凶鱷山林駭訓狐由來歸命數誰爲解妻孥

詩心

詩心似月圓萬古照青天鸞鳳光中舞山河鏡裏懸浮
雲蔽空曠殘夜泣嬋娟獨有蓬萊頂相攜一灑然

贈潘四棣

蘇公託跡處往往多詩人赤壁鶴千里黃州月一輪思
工迴麗藻語重入天真寂寞燕臺夜高歌更有神

丁酉五月五日次韻寄鈞潭前輩

喜對兒童艾葉簪一樽忘卻歲華侵
宮前鵶起幾朝日郭外烏啼又暮陰報
國難為天下計思親易動故園心蕭條文字存知己猶
似當年翰墨林

詠史七首

文翁治蜀郡仁愛敦教化選材詣京師招俊闢學舍出
入必與偕光榮為假借士服民則馴輕重適所駕四海
學校興千古聲名播廬江亦何奇報政先其大

漢吏尚嚴酷吳公獨寬和持法一以平周密除煩苛許
丞老且聾不逐茲謂何送故復迎新所傷民已多督郵
俯首去姦吏空相賊

亂民如亂繩吏急焉可治單車到渤海盜賊心已疲懸

知太守來恤我寒與飢兵弩遂解散鉤鉏相與持功成
上天子主聖臣何爲
信臣遷南陽其治如上蔡止舍離鄉亭勤力無少息增
戶倍耕作通泉廣灌漑百姓號名父用以顯親愛民富
吏則榮吏富民斯瘁
九眞好射獵駱越無婚姻牛耕易其業種姓別其民風
雨感天和稼穡盈倉囷夜郎知慕義戍卒罷不陳異俗
猶克變華風豈不振
稚子少好俠晚節尤敦儒遷能佐大吏天子聞咨吁作

令始溫縣積猾行誅鋤兗州風威播洛陽神算儲不見
安陽亭弦歌薦里閭
伯周莅合浦去珠乃復還一朝謝病去吏民失所天中
夜載船遁歎息車空攀耕傭處窮澤慕義來四鄰畏則
如猛虎愛則如祥麟請告千載下好惡視茲民

立秋前二日衙齋口占

槐花滿地鋪黃雪慘綠陰中避日行莫厭元蟬太多事
明朝到耳是秋聲

十驛詩

驛柳

弱柳垂長絲欲絆行人住含情不得語假與寒蟬訴

驛花

紅紅兼白白不怨道旁塵堪令隨手掇日夕望行人

驛夫

南行送君南北行送君北不管輿中人髮向輿中白

驛馬

渴時不得水飢時不得芻貪食道旁草嗔殺貴人奴

驛館

昨夜館中月今夜館中月樓燕暮各投征鴻曉又發

驛渡

人馬同一船船頭天墮水馬渴不得奔人渴不得洗

驛火

繡閣燈初炧天涯火獨然不願照君去但願照君旋

驛饔

朝餐復暮餐差過如流水借問座中人何曾飽欲死

驛夢

南行夢冀北北行夢江南江南花返櫂冀北雪飛驂

驛詩

英雄及兒女兩淚併一心蜘蛛半相蝕怕與盡情吟

丁酉山左闈中賦詩三十韻

大國神州奧斯文

聖代才陰陽岱宗劃潮汐鉅溟迴天與奎婁耀人經禮

樂裁漢儒崇伏鄭唐逸起韓裴風驛隨蟬度星郵策馬

來平原愁相士姚水緬掄才當事精勤甚羣倫饜飫幾

憂心意河漕盛意託龍駷穢盪芬斯烈奸鋤正不頽職

雖分內外理自貫傾裁筆細千絲緯文雄萬陣摧河準

辨伏濟楷直笑蹺梅眞僞關風化純疵藉琢追況當望

霖雨應不負黔雷襄贊皆英彥尋常識蹇駘新知逢歷

下舊契或燕臺師友資常切

君親報匪能聊陳一日力恐受衆人哈憶昔南中使曾

承北斗魁眼前龍虎驟頭上兔烏催離合誰司者升沈

亦異哉所爭存道義自足拔塵埃露洗秋花豔煙橫遠

樹堆秪今鵲山望亦似鷺洲洄校藝燈連檠繙經茗展

杯簾垂新月透帳動曉颸開默會鬼神伺狂呼僕從猜

夜應頻繼日手不暇承頦飽懽官庖諳糜增廩粟詠作

歌因勵志廣廈願同悏

劉眉生前輩招集西園有作

昨過嘉樹軒日暮聞流水羔筵洽衆歡鼉鼓催客起高談挹未罄清夢溯方始茲晨重良招同心有數子鮭菜見鄉風粉糗味逾旨聯步登高臺周覽輒移晷斷石臥秋葉清流蔭叢葦主人厪民憂一室視千里藉非延攬意窺園歲其幾花時鳥自閒漲後魚應喜借問泉石人樂志何如此

趵突泉

三泉突出如飛鵝翻空蹴轉銀河波湍珠激地拾不得寶雪衝風吼更多中間相去只咫尺千里萬里同一脈是何神巧出天倪相爭相讓不相息奔流從此歸大瀛混茫一氣涵太清池邊鷗鷺自相習潭裏遊魚靜不驚仙人何時駕鶴去枯僧守此朝復暮泉頭翦入銅瓶中一吸清涼散昏瞀

明湖謁南豐先生祠待月返櫂有作

日斜秋在山月出秋在水我櫂任往還清興良未已祠空渚葉飄人遠寺鐘起明發思無端夢墮鵲華裏

德州贈舒自菴刺史

别思秋風繫歸程落日催田收四村出河折萬艘回膏澤關民瘼艱難見吏才何當重把袂濯錦對園開德州署中

有石題曰濯錦園董文敏筆也

仙屏書屋初集詩錄卷之十二

宜黃　黃爵滋樹齋著

喜張亨甫至京次孔宥函韻四首

風雪長安道天光暗落鴉故人一樽酒流水幾年華歸
夢烏山遠遊塵鹿洞加相逢惟一快詩好正無涯

古人期不朽世士鮮貞狂萬卷心虛靜千篇思混茫韜
光懷白璧抉手出青霜變化存吾道誰能絜矩長

空有千秋想誰知四海憐車牛傷販豎風浪困長年閱
世成緘默因人畏徙遷欲從神島上攜手問蒼天

身世浮沈裏乾坤醉醒間雷驅虎燒尾霧養豹成斑傑
士堪投贈新詩羨往還自非空谷侶咫尺亦河山

贈亨甫次喬鶴儕韻三首

英靈盛河嶽九曜燭遐荒風會期吹垢才名怯簸穅著
書等身富報
國寸心長落落青雲士林泉半老蒼

天地藐中處巢由誰可儕江糧欣果腹衰雪尚炊骸夢
遣書難寄登高酒易懷春花方到眼一爲埽寒霾

三人市虎勢四海雲龍交素手抱朱瑟誠心占白茅昌

黎燮謗毀曼倩雜詠謝安得梧桐樹廣爲鸞鳳巢

再贈亨甫次湯海秋韻三首

明月海天來浮雲倦眼開相逢今日醉苦憶去年囘夏
瘴蒸鯨潑秋風厲駿臺藉非歲寒士歎聚恐無媒
風力詩篇老霜痕襟袖重秪添故園思不改舊時容花
泛三江棹猿扶五嶽笻塵塗厭羹飯巖谷有笙鐘
宴坐惜光陰豪情那得禁燭憐花自結棊笑刼偏深落
落夜將旦悠悠後視今生涯詎可料天地一長吟

次韻答湯海秋三首

高詠與時發閒愁如夢消燈傳九華夕香結五雲朝日
暖將回鴈風輕欲解貂秪拚心骨醉不覺鬢毛蕭
性情深處合意象淺中存俗眼好龍失才人畫虎論聽
明宜笙鼎吝嗇笑占坤滋味年來其殷勤醃菜根
南國歲華新園梅弄好春鶺聲通戶牖鵷髮望星辰骨
肉千年別賓朋四海鄰江湖同一夢難得友麇麟

湯海秋招集寓齋以九天閶闔開宮殿爲韻七首

獻歲巳七日青黑尚未剖盤蔬雜冬春賓朋集八九望
古通心源論詩悉談口不飲亦已佳陶然就吾友

萬物各有適測後當知前試觀古來士浩與時世遷置
粟招失馬利害非所權不如長嘯詠相與安其天
登高望千里雪色橫太行黄人奉朝日瑰麗迴天閶二
儀幹大化轉變誰能量惟思繫長繩爲我留景光
風林噪飛鴉雨檐靜棲鴿物情有旦暮因時悟闢闔生
涯蛣轉九世事魚投罨何如對春酒一笑觀六合
雞鳴拔劍起落月空徘徊出門何所適素衣蒙塵埃歎
然就吾友笑顏爲之開豈必重意氣要當無嫌猜
君昔從房杜橐筆瓊瑤宮退食事吟詠脫手驅長虹力

鋭世誰敵思幽神爲通嵯峩戴斗極拭目橫崆峒
杜韓世不作大道失冥眴不登三神山誰識九仙殿海
波日鴻洞元音豁萬變瑤琴一再彈清聽庶無倦

葉筠潭前輩招集白鶴山房以碧桃滿樹風日水
濱爲韻八首

隆冬凜寒沍微陽漸通脈只憐春風吹翻長鬢邊白先
生善優暇嗜好有同癖光輝千斛珠欲報匪瑤碧
桀名千古希茂實貴所操昔聞閩中使徧地植李桃蔻
枯有天運人事嗟勤勞秖今見古誼上薄天雲高

條山峻足攀灘水清可盥酒澆介祠寒風把舜樓滿迴
首一長嘯煙霞聚常散惟餘百卷詩嗛雪貯銀盤
驅車向東華三日一良晤積霰摧馬蹄殘冰落鴉咮綠
陰何日成盼此庭前樹高談餘夙歡苦茗多新趣
比鄰東西巷來往頗詩筒忘年相爾汝入座酣光風俯
仰話今昔玉屑霏簾櫳憂樂庶無異寤寐相與同
長安冠蓋都茲會壓眞率列座四海珍衆作千秋述小
邦愧曹檜不戰力已絀歸來且閉門索句到斜日
昔遊眞人觀岑寂白雲裏節佳燕九過頻年悵流水明

當上江亭更招海嶽士西山集靈仙樓閣見彈指
往時漁樵侶散髮江湖濱側覩君子義未敢思隱淪氣
類苟不孤語言非所珍懷哉崇令德日月光常新

題都溪蓮花橋冊子橋建於李公大年道光辛卯冬江華猺變公孫嘉俊常率義旅拒賊於此
傑閣神明峙豁流甲馬屯蓮花復開落雲影自朝昏欲
過春陵宅因尋瀟水源漁樵談往事載訪李翁孫

戊戌長夏懷人詩二十四首

郭羽可中翰儀霄

愛爾離披竹，清風來自南山中。孤鳥託夢裏，故人談勳業。閒鋤藥，文章老課男。新詩遙和處，秋月起澄潭。

杜稼軒比部寶辰

聞道山陰子，行吟樂事多。秋江上肥蟹，春嶼散羣鵝。束皙詩能補，昆吾劍不磨。白雲樓畔侶，相望意如何。

前輩吳仲昀觀察振棫

風雲夢靈嶽，歲月悵勞山。民望應難絕，天心未許閒。三千詩律健，四十鬢毛斑。相憶明湖月，流光秋漢間。

姚石甫觀察瑩

故人七千里，南望海雲飛。番種無生熟，民情有是非。舊遊狎蛟鱷，新句拾珠璣。消息參應透（君舊有心清消息圖），天風清四圖。

馮子良大令詢

盧陵有祠墓，恰在永豐鄉。溪水自千古，誰堪薦一觴。京華見豪俠，江國望循良。翹首青原側，銀蟾正似霜。

譚桐舫大令祖同

美爾飛騰筆，終成檠錯才。鈞天猶夢到，大地幾眉開。秋壑魚龍靜，春江花柳催。故人多白髮，聚散感尊罍。

許价人大令道藩

千古含桃閣風流想見之今君好爲宰古事益多師淮水月明夜燕關花落時令名各努力天末慰相思

李牧臣廣文覺

第六泉邊月清光恰照君忘懷常中酒得意在論文園果添錢種鑪香覓句焚舊遊同在眼秪是悵離羣

黃香鐵廣文釗

萬里潮陽月三春上谷花酡顏憶杯酒孤夢託天涯麟閣新詩健蠅頭尺素嘉矣言何以報白髮畏鬖髿

張鼎甫廣文履

俗吏不可作相期吾道存學規四箴重時以勵學四箴見示家法二銘尊霄淨雲橫鵠江空浪湧黿茅山有高士應許其朝昏

徐東松明經湘潭

蕭瑟復蕭瑟飛鴻斷遠霄似聞吟更健不信病偏饒石碧雲邊寺金溪月下橋何時互相過尊酒話漁樵

潘穀士明經葆田

囘首更千里飛鳴感脊令酒邊關月白夢裏越山青鬢

影消明鏡花光黯畫屏似聞甘寂寞一卷佛前經

姚梅伯孝廉燮

徐陵調廉峯前輩有高歌抑塞比王郎才調工三影騷情蘊九章雲飛海門際花落月湖旁貪寫蛾眉攏終非時世妝

陳唐甫明經符運

南海丹砂熟思君飽喫時故人書萬里獨客酒千巵信美非吾土多窮拚此詩龜峰何日返世路惜嶔崎

陳伯游太學方海

鄱湖蕩頃漲浩渺接長江宅近齊梁卜文應魏晉降緗塵不染素隻影自成雙想見披吟處疎花媚夕窗

劉湘華孝廉熊

不見劉郎面白雲山下秋海聲挾風雨潮氣逼蛟虯安得千杯酒同登百丈樓離離誦新句發興自滄洲

溫伊初孝廉訓

海嶽文章在蕭然返故居桂花隱簾月榕葉覆牀書夢遶懷人夜吟工待酒餘鵠聲聊可和翹首碧天虛

蔣子瀟孝廉湘南

憐君抱奇氣折節欲窮經匹馬長河遠孤雲太室青古
人如可作世士竟誰醒想見讀書處風林起暮螢

金嵎谷孝廉望欣

寫笠軒何處高吟看遠天酒邊剛到月畫裏欲飛泉燕
市緇塵久江關落葉偏惟應五峰好相傍赤松眠

丁儉卿孝廉晏

老爾著書手驚人博古才風塵重相見歲月若爲催課
讀佳兒侍傾樽勝友陪廣陵潮欲起作賦定推枚

魯蘭岑孝廉一同

山陽多傑士年少更推君虹貫滄江月雕橫大漠雲文
章定餘技冊籍有奇勳恨不留君住談棊對夕曛

張補山孝廉鵬翂

揮手憶長途蕭然兩鬢孤風高墮雲鴈冰凍走河狐宇
宙存知己詩書泣故吾山中有靈藥事業即俞跗

潘四農孝廉德輿

文字求知己難於索鬼神秪存千古志不負百年身出
可爲龍虎藏猶比鳳麟吾生亦何補洗眼看風塵

兄壽泉爵樞

憶昔行吟處相攜明月中池花隱疎竹崖露溼高梱元鬢今何似青山夢與同尚憐北窗下努力課兒童

寄題永豐鍾秀峰爲郭羽可（羽可家永豐之層山村有山曰石峯鹿春如太守易其名曰鍾秀峯云）

老可嬉遊處石峰天下知邀來太守喜索遍故交詩妙畫添松竹靈根種术芝巖頭萬古月（峯腰石洞顯晦其名月巖）心期

戊戌五月十一日作示內

油雲羃四空甘澍流千里心懸廊廟歎眼見賓朋喜既

雨晴復佳惔暑淺如洗榴火凝朱闌荷風潄綠沚披應愛薄羅蘤恰宜芳醴側聞鄉人言江湖多積冰安得燥溼均咸就農桑理期頤奉高堂耕讀到元耳豈伊蒙山陽但傳老萊子

暑夕獨坐

暑雨連朝罷庭階小坐宜虛簷風引篆高樹月移枝毒避飢蚊嚙涼生靜鳥知只貪清夜景欲睡故遲遲

古歌爲廣豐韓Г麒妻作

士未穀忠不驗女未醴節不移君不見徐氏子韓氏婦

入門哭夫入室撫孤堂上白髮翁與姑鵾絃一聲天地裂女貞萬古淩寒雪

孔宥函艾至堂臧牧菴諸君先後出都賦詩送別二首

西風涼葉戰高秋別思無端起暮愁家在江南惟有夢天橫塞北怯登樓交游聚散憐浮梗身世升沈感幻漚此去但逢湖海士爲言無恙羨閒鷗

平生意氣共飛揚撫劍高歌太慨慷拒轍空憐螳有臂登盤眞笑蟹無腸青琴語罷依明月紅樹行深戒曉霜應憶睢卿無一事清秋酩酊菊花黃

寄和吳仲雲前輩移居

衝飆怒捲翠微葎玉河凍起日色薄園林幾見鵲定巢節序但驚蛇赴壑挑燈重展故人書搬典家具移新居湖風高臥一椽下海月相思千里餘是時火龍騰赤地請水倉皇走官吏近市何心記榛梗閉門聊復安身世安得從君叫九閶前招三辰後凰鳳遊氛一埽六合淨八荒爲室參翺翔炎涼變態信俄頃至人守道憑虛靜檐前乾鵲噪梅花想爇枯枝煮寒茗

得趙心菴書卻寄

明月能飛渡何愁一水深寥寥惜吾影浩浩見君心夢憶東風醉寒催朔雪吟餘情渺何極霄漢展鴻音

陶堰雲山經用樓歌寄范叟

黃生詩興久不發范叟相招北樓月斯樓乃在會稽湖山間萬壑千巖其幽悅前羅瀟灑之叢竹後列芬馥之芳蘭中有趙公鐵如意苔花澀繡生陰寒摩挲神物快一擊夢魂與我相盤桓定憶長安沽酒肆五陵年少驚相避高歌自對眼中人絮語難忘天下事雲山無恙待君歸湖頭酒美魚更肥試看鷹馬空神駿何似鷗鳧息化機

次韻答族子冲

山有木兮木有枝是惟元氣相扶持千葩萬蘤恥徒豔落實乃蘊乾坤奇天光下垂一星大此筆落落吾所師載以出雲降雨之靈岳滌以沐日浴月之天池瑤華爲藻鐵爲幹有用無用難窮推抑之則鼠伏揚之則鵬飛珍之若韜劍賤之如汚卮獨怪世人昧厥本手中往往生癥瘕中書老禿亦徒爾貞宰一失誰能追嘵予守此

計巳拙子來就我勸相規風雨無端泣神鬼雷霆下擊
摧罔夔天公惱我使束手如髮欲理無銀鎞唐花破凍
春菲菲堅冰釋硯堪吟詩贈子不律乃大喜濡毫吮墨
徵風期如源自遠庶不竭如山克崇斯不卑吾家祖德
況可述七世流風今未衰欲廣龍梁濟川險只憐臣叔
眞成癡鳳皇之陲北山麓高堂白髮猶孜孜九族未見
全衣食四海何論半溺飢子來就我亦太息耳聞目見
淒以悲世上知交空好事天涯骨肉共生離只愁紅塵
眯滿目不嫌白水兼生脾天公昨夜豊玉貽人間萬卉

懷恩施會當送窮命虎僕春鴻嘹唳聞天遠

汪孟慈徐鏡溪兩君將有東河之役餞之龍樹寺賦詩送別

揮手自茲別何時樽再傾練才
明主意贈策故人情柳拂津門暗花含濟水清舊遊漫
回首夢裏一鐘聲

江亭送春次韻答俞四香二首

邐邐城南一徑斜年來幾度此停車雲光仍帶蒹葭閣
雨意偏遲芍藥家眯目風塵春易老傾心湖海酒能賒

冥鴻歷歷太行外健馬蕭蕭易水涯
繁華羨爾筆能删小隱漁樵第一班秖爲抱琴憐識曲
何當說劍解愁顔碧天垂影入詩座黄鳥依人似故山
猶愛明湖堪避暑荷花風送一舟還

